글●이블린 하슬러

스위스 동부 글라우스에서 태어났습니다.
심리학과 역사학을 공부한 뒤,
교직에 종사했습니다. 현재는 작가로서,
어린이와 어른을 위한 책을 쓰고 있습니다.
작품 가운데에는 오해받거나
소외 당하는 아웃사이더,
어딘가 색다른 데가 있는 사람들에 대한
이해를 다룬 것이 많습니다.

그림●캐티 벤트

1942년 스위스 서부 올텐에서 태어났습니다.
파리와 취리히에서 그래픽 디자이너로 활동하다가,
어린이 책의 일러스트레이터가 되었습니다.
1982년 〈도둑 다다다〉로 취리히 아동 도서상을 받았습니다.
그 때까지는 주로 펜화를 주로 그렸으나,
1988년 〈땅 속 친구들〉에서 컬러 그림을 처음으로 선보여,
그림책 화가로서 주목받고 있습니다.
이 밖에 〈밤의 숲의 비밀〉이라는 그림책이 있습니다.

피카소 동화나라 14
땅 속의 친구들

펴낸이/김석규
펴낸 곳/(주)한국몬테소리 등록 제10-789호
서울시 서초구 서초동 1318-8호 중앙빌딩
TEL3481-5016~20 FAX3481-5055
글쓴이/이블린 하슬러
그린이/캐티 벤트
옮긴이/이기욱

인쇄한 날/1999년 1월 10일
펴낸 날/1999년 1월 20일
원색 분해/(주)그래픽아트
인쇄한 곳/삼조인쇄
제본한 곳/(주)명지문화

• 1995 by Montessori Korea Co., Ltd.

＊ 흠 있는 책은 바꾸어 드립니다.

ISBN 89-7098-143-8 78800
ISBN 89-7098-143-2 (세트)

Copyright © 1992 by Ravensburger Buchverlag Otto Maier GmbH
Title of the original German edition : SO EIN SAUSEN IST IN DER LUFT
Korean language edition published by MONTESSORI KOREA Co., Ltd.

땅 속의 친구들

글/이블린 하슬러
번역/이기욱

그림/캐티 벤트

한국몬테소리

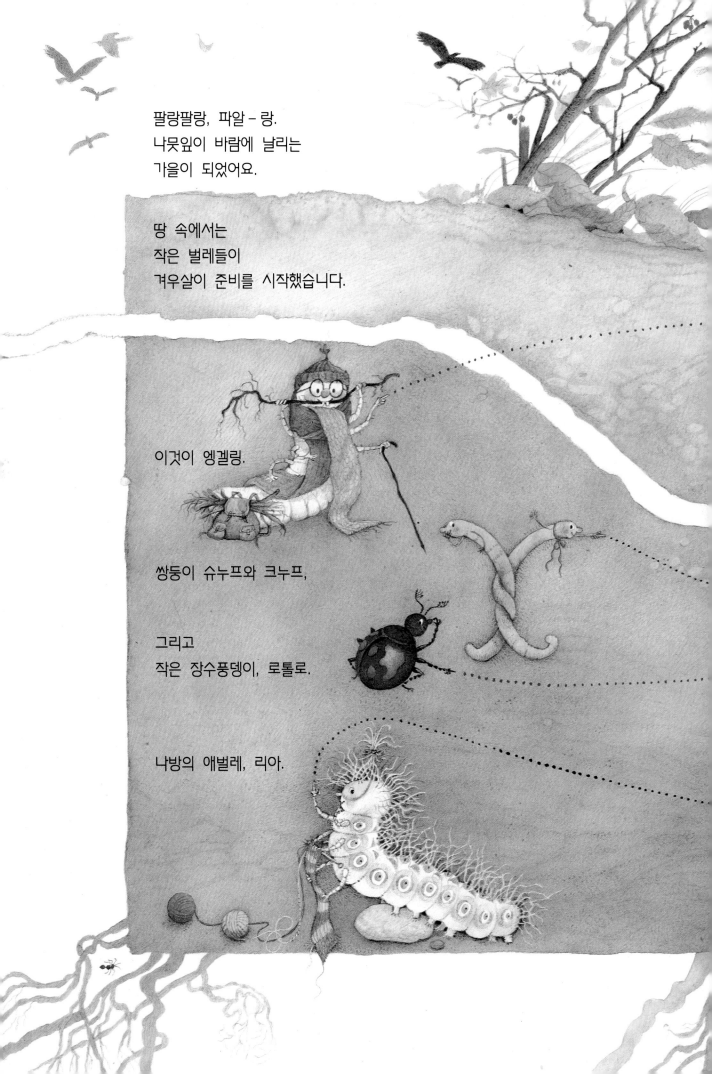

팔랑팔랑, 파알 – 랑.
나뭇잎이 바람에 날리는
가을이 되었어요.

땅 속에서는
작은 벌레들이
겨우살이 준비를 시작했습니다.

이것이 엥겔링.

쌍둥이 슈누프와 크누프,

그리고
작은 장수풍뎅이, 로톨로.

나방의 애벌레, 리아.

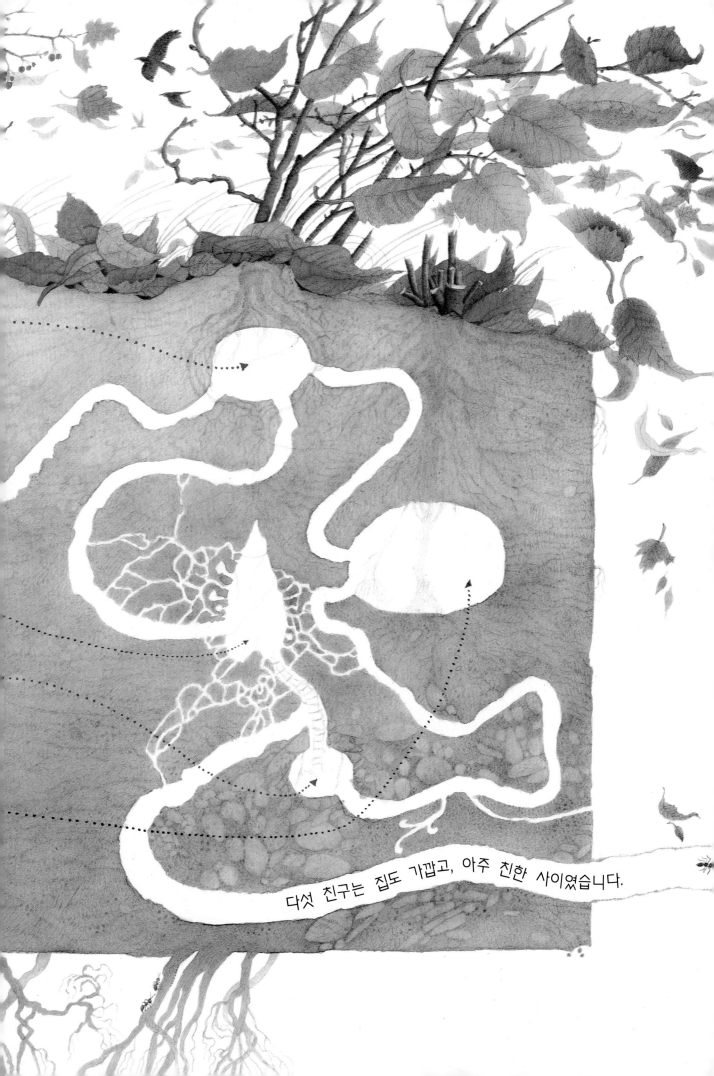

다섯 친구는 집도 가깝고, 아주 친한 사이였습니다.

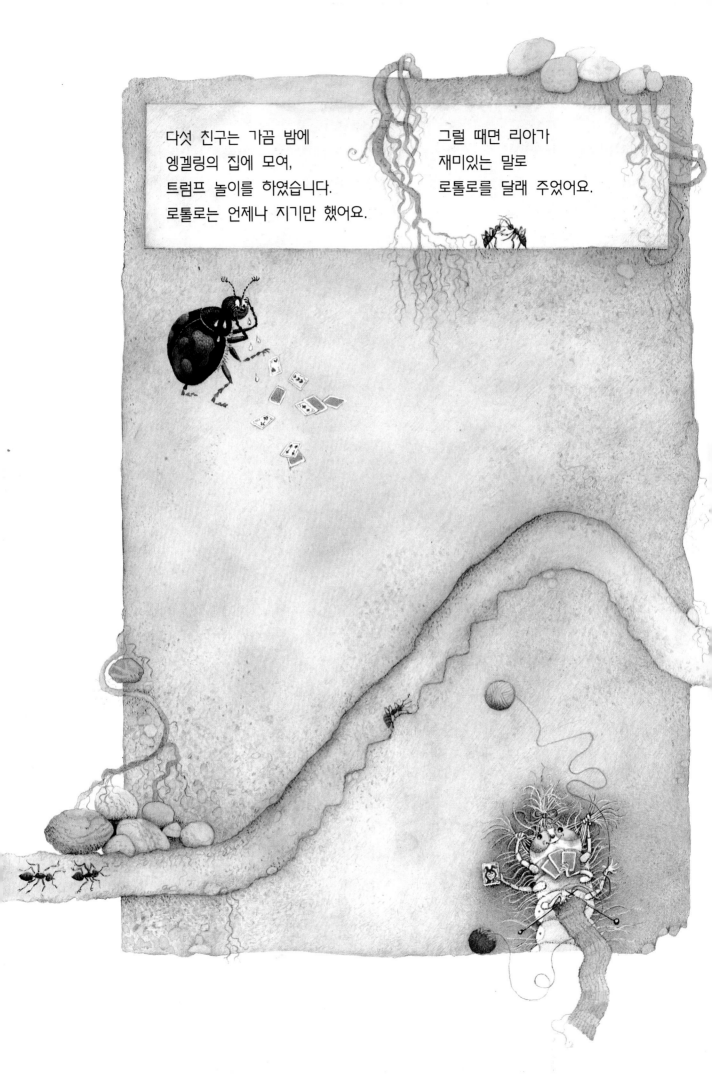

다섯 친구는 가끔 밤에
엥겔링의 집에 모여,
트럼프 놀이를 하였습니다.
로톨로는 언제나 지기만 했어요.

그럴 때면 리아가
재미있는 말로
로톨로를 달래 주었어요.

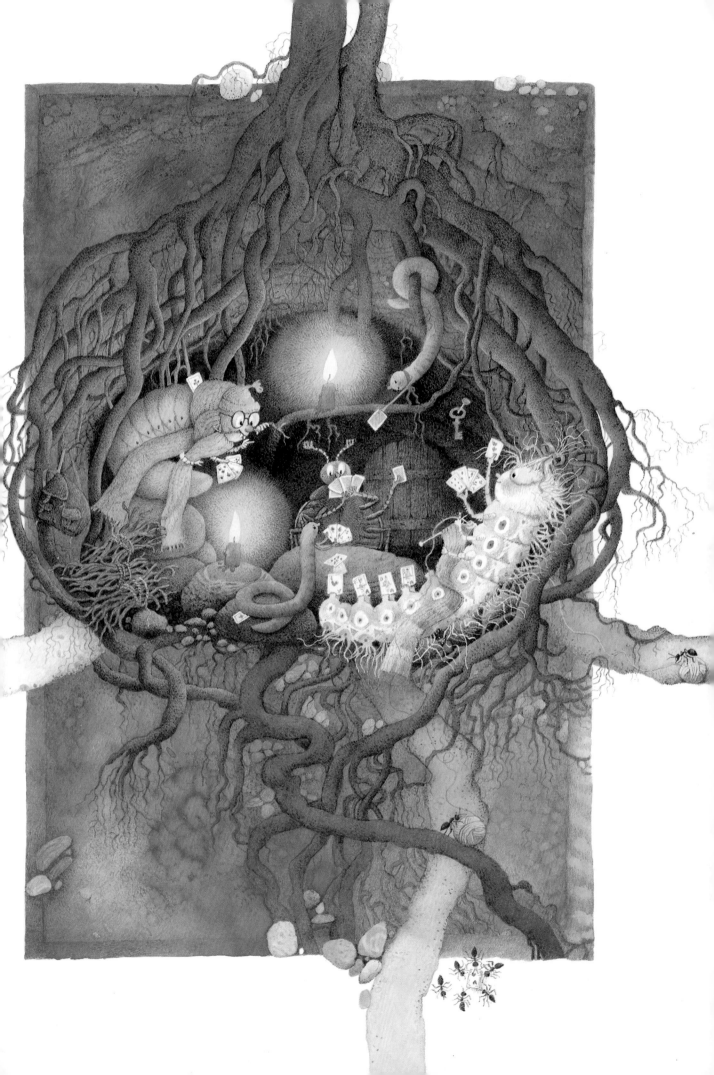

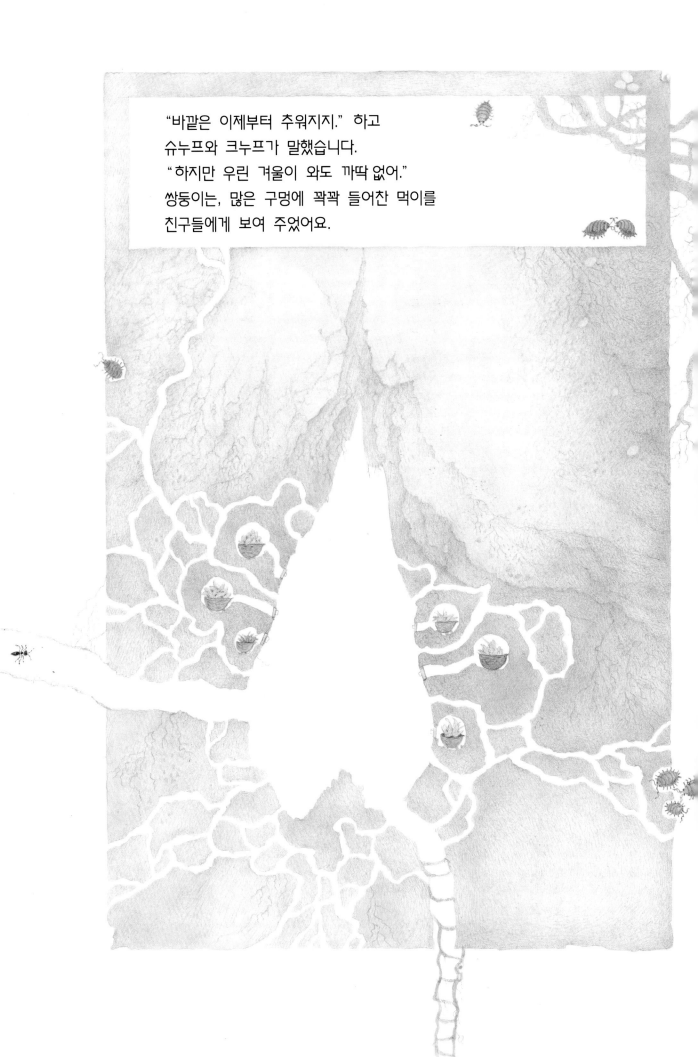

"바깥은 이제부터 추워지지." 하고
슈누프와 크누프가 말했습니다.
"하지만 우린 겨울이 와도 까딱 없어."
쌍둥이는, 많은 구멍에 꽉꽉 들어찬 먹이를
친구들에게 보여 주었어요.

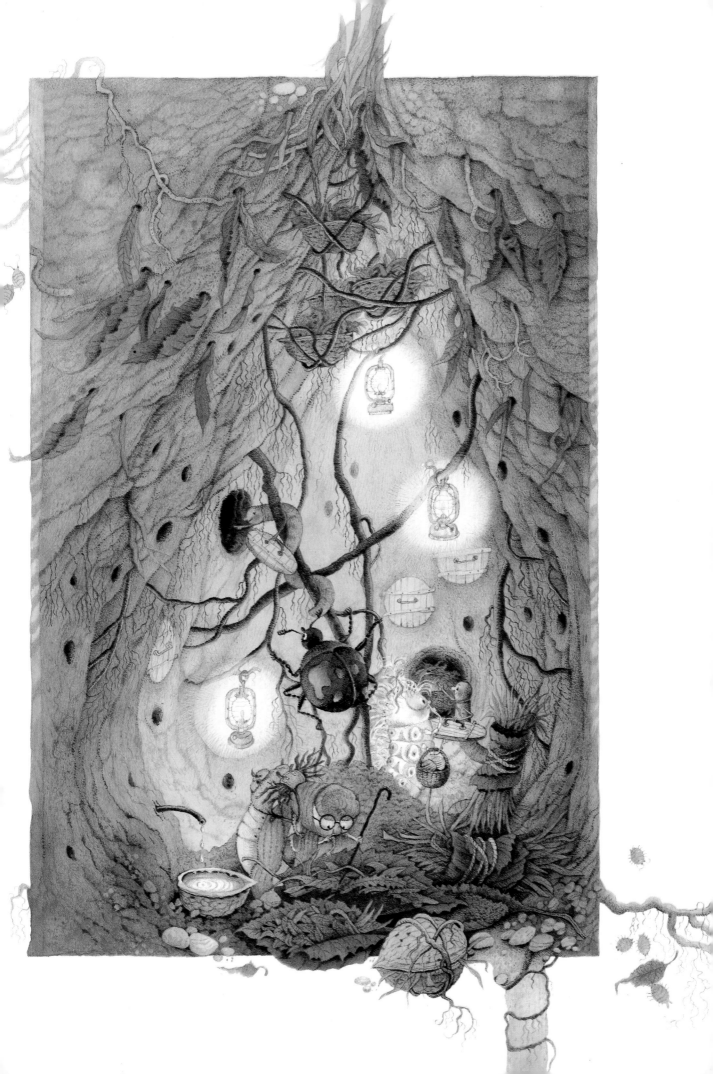

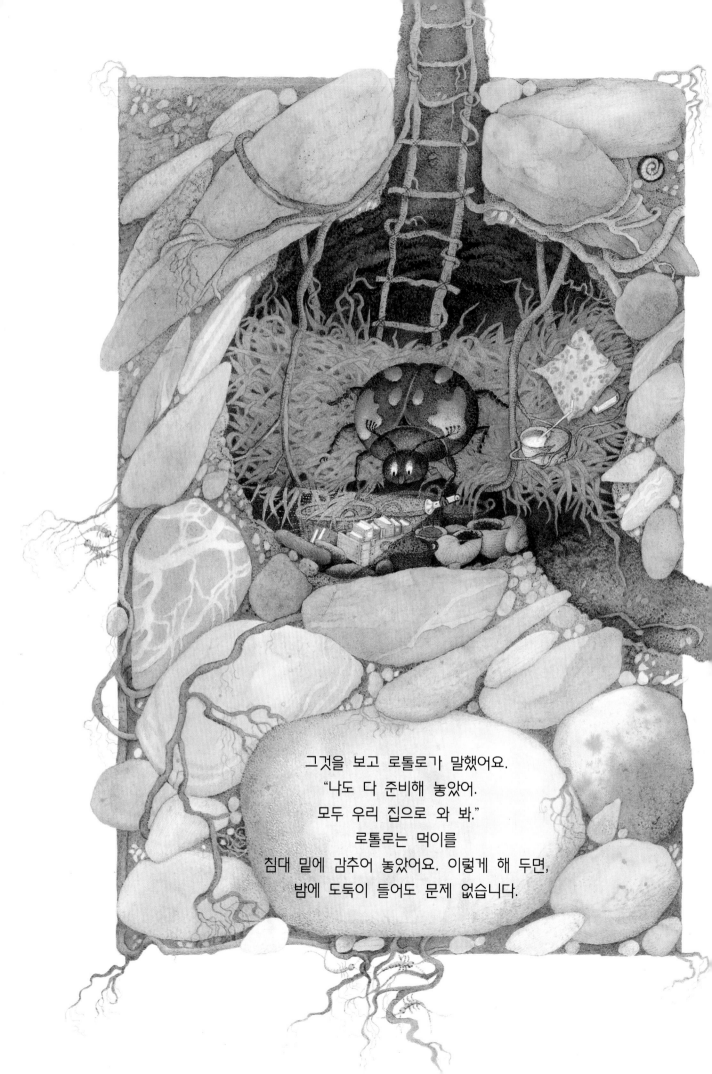

그것을 보고 로톨로가 말했어요.
"나도 다 준비해 놓았어.
모두 우리 집으로 와 봐."
로톨로는 먹이를
침대 밑에 감추어 놓았어요. 이렇게 해 두면,
밤에 도둑이 들어도 문제 없습니다.

"리아, 너는 어떻게 해 놓았니?"
"좋아, 나도 보여 주지."
리아는 자기 집으로 친구들을
안내했어요.

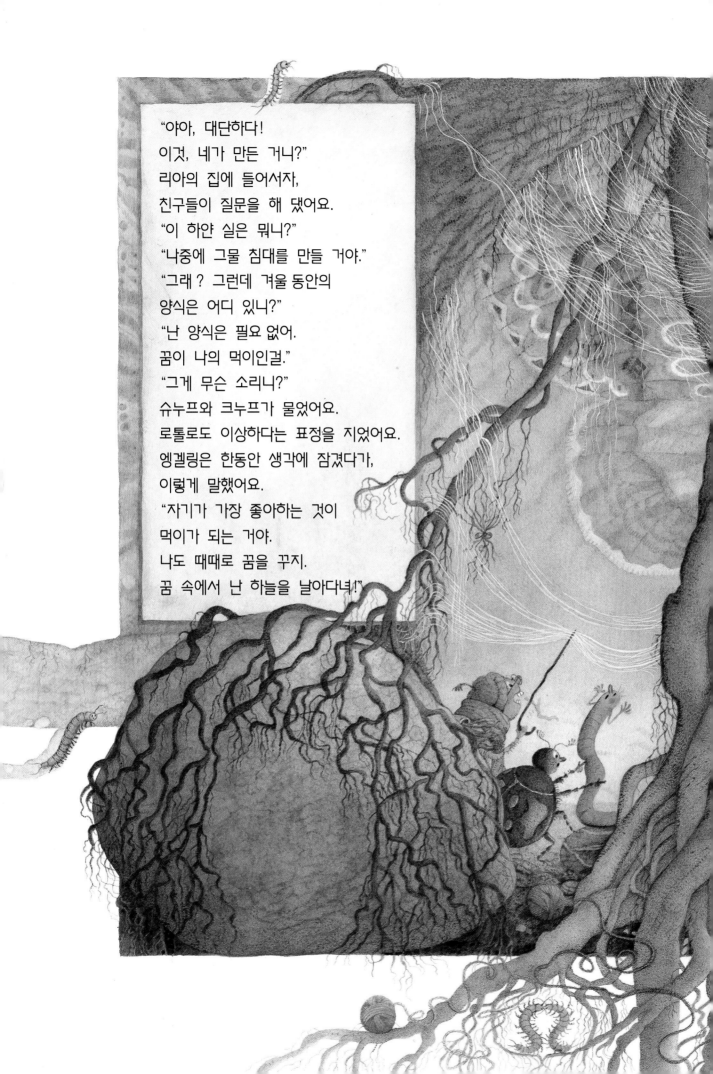

"야아, 대단하다!
이것, 네가 만든 거니?"
리아의 집에 들어서자,
친구들이 질문을 해 댔어요.
"이 하얀 실은 뭐니?"
"나중에 그물 침대를 만들 거야."
"그래? 그런데 겨울 동안의
양식은 어디 있니?"
"난 양식은 필요 없어.
꿈이 나의 먹이인걸."
"그게 무슨 소리니?"
슈누프와 크누프가 물었어요.
로톨로도 이상하다는 표정을 지었어요.
엥겔링은 한동안 생각에 잠겼다가,
이렇게 말했어요.
"자기가 가장 좋아하는 것이
먹이가 되는 거야.
나도 때때로 꿈을 꾸지.
꿈 속에서 난 하늘을 날아다녀!"

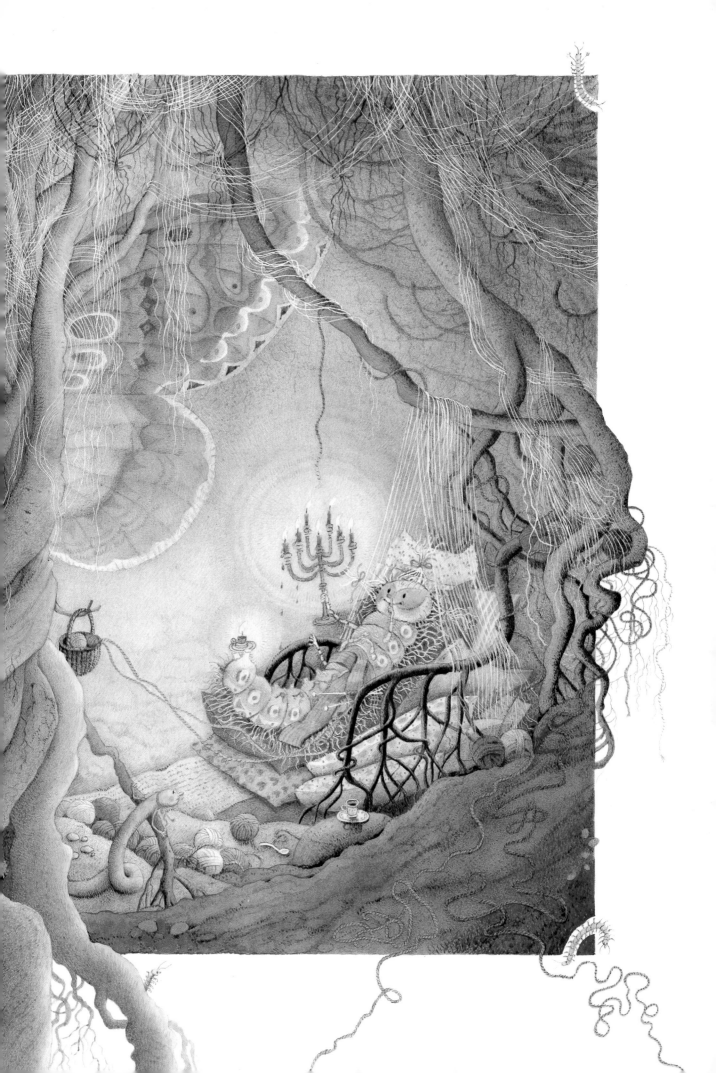

"그런데" 하고
엥겔링이 계속해서 말했어요.
"나도 겨울 양식이 있지만,
아직은 비밀이야. 너희들 양식이
다 떨어지면, 모두 함께 먹자."
그리고 양식을 넣어 둔 방문을
친구들에게 보여 주었어요.

문에는 자물쇠가
단단히 채워져 있었어요.
집에 돌아온 로톨로는,
엥겔링의 양식이 무엇인지
궁금해서 견딜 수가 없었습니다.

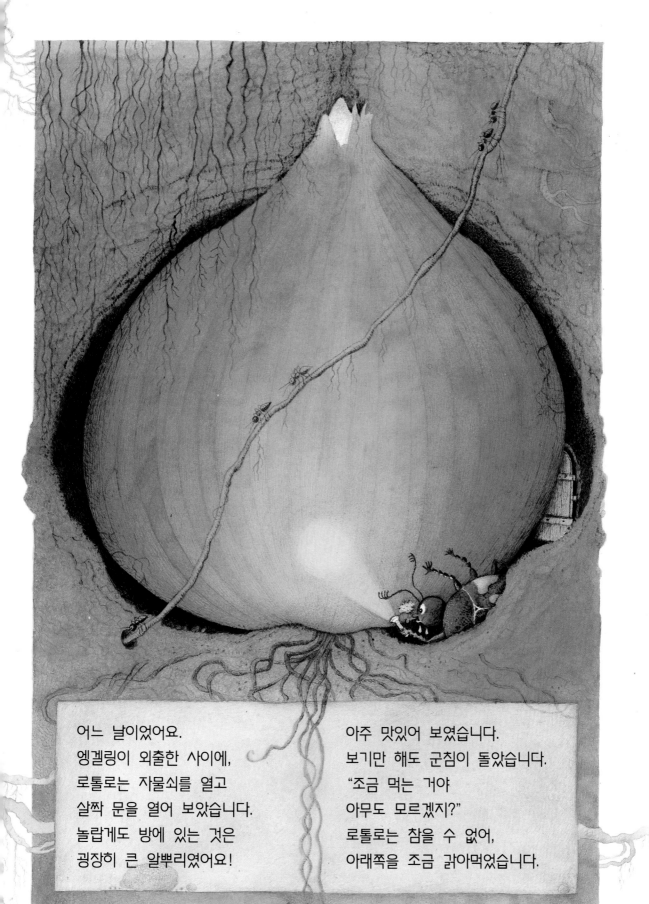

어느 날이었어요.
엥겔링이 외출한 사이에,
로톨로는 자물쇠를 열고
살짝 문을 열어 보았습니다.
놀랍게도 방에 있는 것은
굉장히 큰 알뿌리였어요!

아주 맛있어 보였습니다.
보기만 해도 군침이 돌았습니다.
"조금 먹는 거야
아무도 모르겠지?"
로톨로는 참을 수 없어,
아래쪽을 조금 갉아먹었습니다.

밖은 이제 완전히
눈에 덮였습니다.

어느 날 밤, 또 트럼프 놀이를 하려고 모두들 엥겔링의
집에 모였습니다. 그런데 아무리 기다려도 리아가 오지 않았어요.
로톨로가 리아의 집에 가 보니까,
리아는 실로 만든 그물 침대에서 자고 있었습니다.
"무슨 일이 있니?" 로톨로가 물었어요.
"나, 꿈꾸고 있어." 리아가 들릴 듯
말 듯한 소리로 말했습니다.
"무슨 꿈?"
"굉장히 아름답고 따뜻한 꿈!"

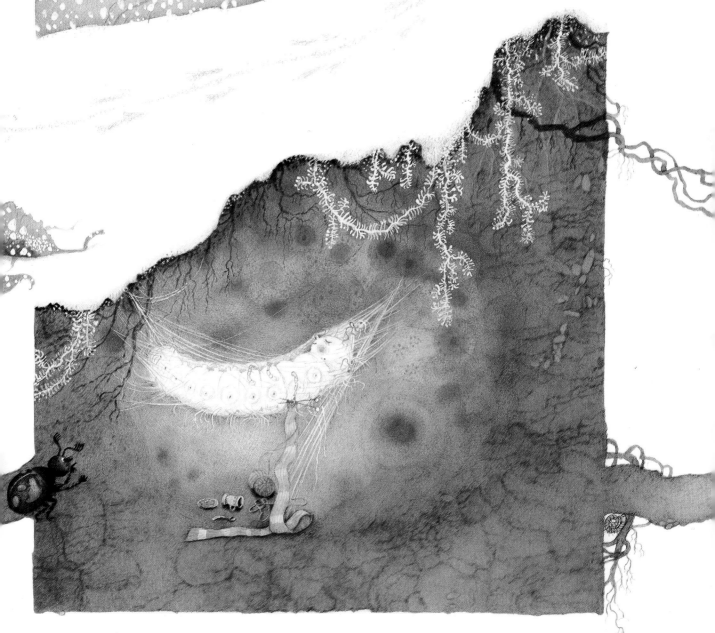

로톨로는, 친구들이 있는 곳으로 돌아가
보고를 했어요.
엥겔링이 카드를 보면서 말했어요.
"리아는 좀 남다른 데가 있어.
하지만 걱정할 건 없어, 로톨로.
얼마 안 가 다시 우리와 트럼프를 치게 될 거야."

빨리
봄이 되었으면!

그러나 점점 추워질 뿐,
겨울 양식도 얼마 남지
않게 되었습니다.

"슬슬 내 비밀을 밝힐 차례다."
어느 날 밤, 엥겔링은
이렇게 말하더니,
자물쇠를 떼고 문을 열었어요.

그런데―.

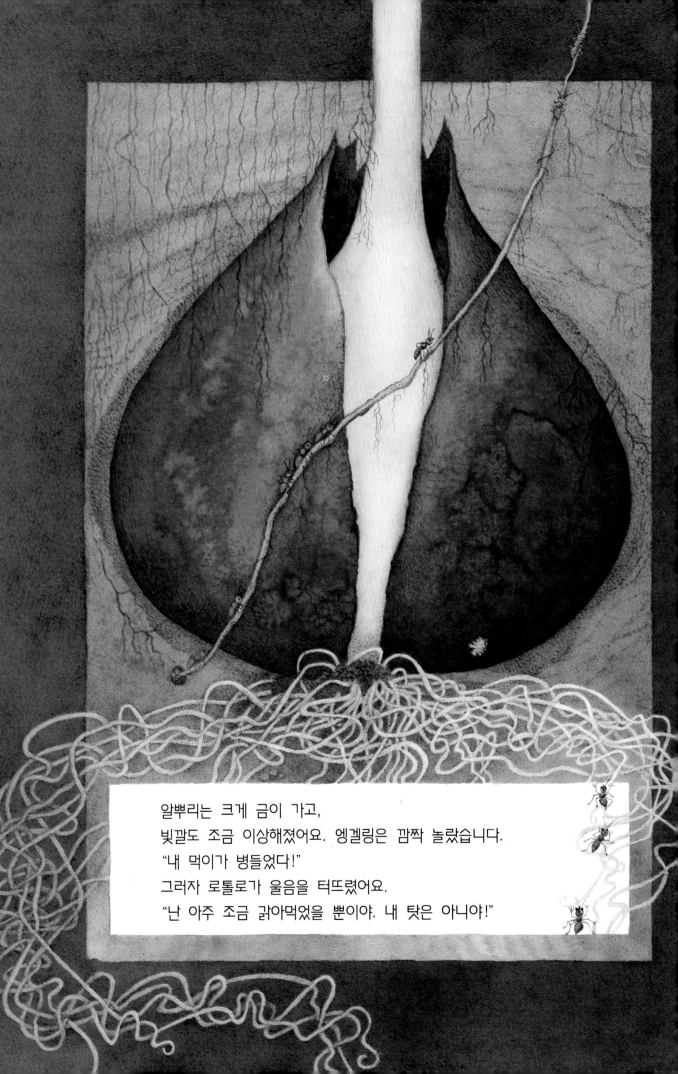

알뿌리는 크게 금이 가고,
빛깔도 조금 이상해졌어요. 엥겔링은 깜짝 놀랐습니다.
"내 먹이가 병들었다!"
그러자 로톨로가 울음을 터뜨렸어요.
"난 아주 조금 갉아먹었을 뿐이야. 내 탓은 아니야!"

"리아, 알뿌리를 보러 오렴!" 친구들이 함께 불렀어요.
하지만 대답이 없었어요.
방을 들여다보았지만, 리아는 방 안에 없었습니다.
그물 침대도 비어 있었어요.

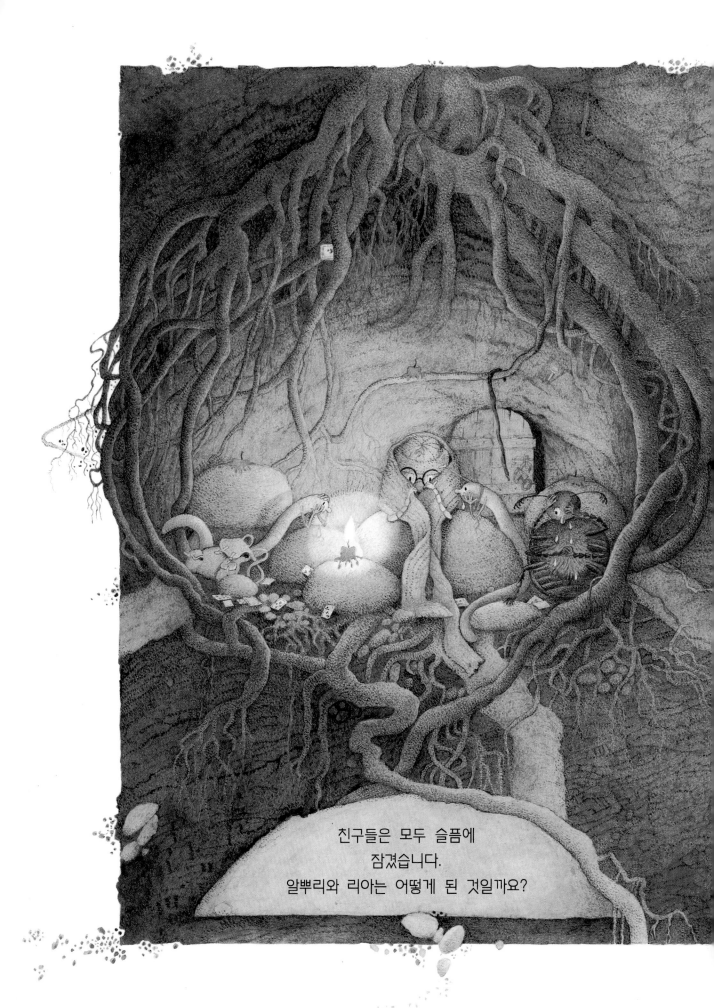

친구들은 모두 슬픔에
잠겼습니다.
알뿌리와 리아는 어떻게 된 것일까요?

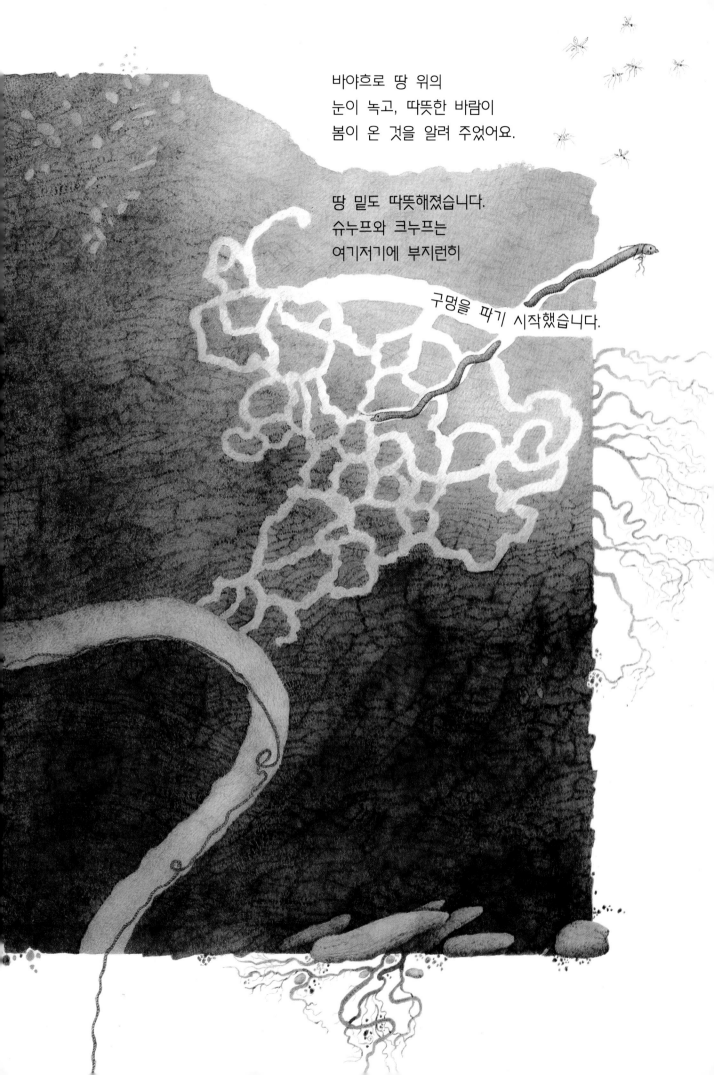

바야흐로 땅 위의
눈이 녹고, 따뜻한 바람이
봄이 온 것을 알려 주었어요.

땅 밑도 따뜻해졌습니다.
슈누프와 크누프는
여기저기에 부지런히

구멍을 따기 시작했습니다.

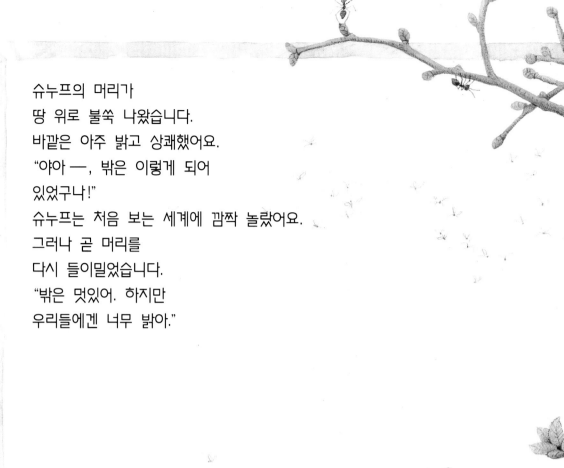

슈누프의 머리가
땅 위로 불쑥 나왔습니다.
바깥은 아주 밝고 상쾌했어요.
"야아 ─, 밖은 이렇게 되어
있었구나!"
슈누프는 처음 보는 세계에 깜짝 놀랐어요.
그러나 곧 머리를
다시 들이밀었습니다.
"밖은 멋있어. 하지만
우리들에겐 너무 밝아."

집으로 돌아온 슈누프와 크누프는
엥겔링에게 말했습니다.
"네가 양식을 넣어 두었던
방 바로 위쪽에 초록빛 기둥
하나가 우뚝 서 있었어."

엥겔링은 '그게 뭘까?' 하고 생각했어요.
아무래도 엥겔링은 자기 눈으로 확인하고 싶어서,
구멍을 타고 올라갔습니다.
엥겔링이 땅 위에 다다른 것은 밤이 된 뒤였어요.
'아, 내 먹이는 병든 게 아니었구나!'
빨간 튤립 꽃봉오리를 보며 엥겔링은 생각했습니다.

이 때, 아름다운 나방 한 마리가 꽃봉오리 옆으로 날아왔어요.
"엥겔링, 나야!"
위쪽에서 소리가 났어요.
"리아, 너였구나! 날개 무늬를
보고 알았어. 정말 하늘을
날아다니는구나, 대단하다!
나는 꿈 속에서만 날 수 있는데 ……"
"조금만 더 참아, 엥겔링.
너도 이제 곧 날 수 있게 돼."
리아는 생긋 웃으며,
밤의 숲으로 날아갔습니다.